NOUVELLES

Histoires drôles

Illustration de la couverture :
Philippe Germain

Une sélection de Paul Lacasse

Nouvelles Histoires drôles n° 65
Illustration de la couverture : Philippe Germain
Conception graphique : Luc Boileau

Dépôts légaux : 1er trimestre 2004
Bibliothèque nationale du Québec
Bibliothèque nationale du Canada

ISBN : 2-7625-1949-7
Imprimé au Canada

Les éditions Héritage inc.
300, rue Arran
Saint-Lambert (Québec) J4R 1K5
Téléphone : (514) 875-0327
Télécopieur : (450) 672-5448
Courriel : info@editionsheritage.com

À tous ceux
qui aiment bien rigoler!

J. O.

— Quel est le premier animal apparu sur terre ? demande la maîtresse.

— Le mouton, parce qu'il est lainé ! répond Jeannot.

•

La maman de Pierrot va voir l'instituteur :

— Dites-moi, pourquoi Pierrot a-t-il toujours des zéros ?

— Parce qu'il n'y a pas de notes en dessous !

•

Un monsieur raconte à son voisin :

— Cette nuit, j'ai fait un horrible cauchemar. J'ai rêvé que je mangeais des spaghettis !

— Et alors, ce n'est pas si grave !

— Vous trouvez ? s'écrie le monsieur. Parce que, quand je me suis réveillé, tous mes lacets de chaussures avaient disparu !

•

Une araignée appelle une mouche :

— Viens sur ma toile, je t'apprendrai à tisser.

— Non merci, je préfère filer !

•

Une olive verte regarde une olive noire avec admiration.

— Quelle huile utilisez-vous pour bronzer comme ça ? demande-t-elle.

•

Chez le dentiste, une maman dit à son fils :

— Allez, sois gentil, Éric, ouvre la bouche pour que le docteur puisse retirer ses doigts !

•

— Je voudrais un portefeuille imperméable, demande un monsieur au marchand.

— Pourquoi imperméable ?

— Pour y mettre de l'argent liquide !

•

Un monsieur très ignorant reçoit une lettre de l'instituteur : « Monsieur, nous avons constaté que votre enfant avait une forte tendance à la myopie. Veuillez faire le nécessaire. » Alors, le monsieur répond : « Vous avez eu raison de m'avertir. Je lui ai donné une bonne fessée, il ne recommencera plus. »

•

Au magasin de meubles, un monsieur demande :

— J'aimerais avoir un lit très solide.

— Mais monsieur, répond le vendeur, vous n'êtes pas si gros !

— Non, mais j'ai le sommeil très lourd !

•

Un voleur est poursuivi par des policiers sur le toit d'un immeuble de quinze étages. Soudain il glisse et tombe dans le vide. Il se met à hurler : « Je suis un voleur, arrêtez-moi ! »

•

Deux nains se rencontrent dans un hôtel :

— Eh bien, je ne m'attendais pas à te voir ici !

— Moi non plus, c'est fou comme le monde est petit !

•

Le médecin demande à un malade :

— Ça fait longtemps que vous vous prenez pour une poule ?

— Ça remonte à mon enfance, quand j'étais un tout jeune poussin !

•

À six heures du matin, le petit Pierre entre dans la chambre de ses parents et réveille sa mère.

— Maman, c'est l'heure !

— L'heure de quoi ?

— L'heure de réveiller papa pour qu'il vienne me réveiller !

•

Un pêcheur dit à un autre pêcheur :

— Vous appâtez avec un ver?

— Non, avec un mégot.

— Ah bon?

— Oui, je voudrais attraper du poisson fumé.

•

Un passant demande à un pêcheur:

— Alors, ça mord?

— Oh non, vous savez, les poissons, ce n'est pas méchant!

•

En rentrant de l'école, une petite fille dit à sa mère d'un air mystérieux:

— Maman, tu connais la dernière à l'école?

— Non.

— Eh bien... c'est moi!

•

— Maman, je voudrais du chocolat s'il te plaît! dit Toto.

— Mais je viens de t'en donner un gros morceau!

— Oui, mais j'en voulais un petit!

•

Deux vers se retrouvent dans une pomme.

— Tiens, je ne savais pas que tu habitais le quartier!

•

— Aujourd'hui à l'école, raconte Émilie à sa maman, j'ai li.

— On dit « j'ai lu », Émilie. Et qu'est-ce que tu as fait d'autre?

— J'ai écru.

•

Un jeune cannibale rentre de l'école et dit:

— Papa, je ne vais plus à l'école.

— Pourquoi? demande le papa cannibale.

— Parce que j'avais faim et j'ai mangé mon professeur!

•

Comment appelle-t-on deux squelettes qui se parlent ?

Des os parleurs (des haut-parleurs).

•

Comment appelez-vous un chien qui n'a pas de pattes ?

Vous ne l'appelez pas, vous allez le chercher.

•

— J'espère que tu n'as pas fait trop de bêtises à l'école aujourd'hui ?

— Comment veux-tu faire des bêtises quand tu es toujours dans le coin ?

•

Combien de temps Adam et Ève sont-ils restés au paradis ?

— Jusqu'à l'automne, probablement.

— Qu'est-ce qui te fait dire ça ?

— C'est la saison des pommes, non ?

•

Un client s'exclame :

— C'est scandaleux qu'avec les quelques poils qui me restent sur la tête, je paie le plein prix !

Et le coiffeur de répondre :

— Mais tu ne paies pas pour la coupe, tu paies pour les recherches !

•

Deux pêcheurs sont installés au bord de la rivière. Le premier commence par pêcher une chaussure, puis une bouilloire et ensuite une vieille poêle à frire. Après avoir regardé ces choses, le second s'écrie :

— Viens, on s'en va, il y a certainement quelqu'un qui habite là au fond !

•

Jeannot assiste au match de hockey à la place la plus chère. Le placeur passe pour vérifier les billets.

— De qui as-tu reçu ce billet ? demande-t-il.

— De mon père.

— Et où est ton papa ? Il n'est pas là ?

— Non, il est à la maison ! Il cherche son billet !

•

Le docteur prescrit au gros André cinq cents pilules pour maigrir.

— Combien dois-je en prendre par jour, docteur ?

— Aucune, tu les laisses tomber par terre tous les jours et tu les ramasses, ça t'aidera.

•

Quel est le pain préféré des magiciens ?

La baguette.

•

Une vieille dame indignée dit à un enfant :

— Que dirait ton institutrice si elle te voyait fumer ?

— Je ne sais pas, madame, je ne vais pas encore à l'école !

•

Jean au cambrioleur :

— Enfin vous êtes là ! Cela fait dix ans que ma femme me réveille en prétendant qu'il y a un cambrioleur dans la maison !

•

Quel spectacle les écureuils vont-ils toujours voir à Noël ?

Casse-Noisette.

•

— Comment ça s'est passé, votre divorce ?

— Moi j'ai les enfants et mon mari, la voiture.

— Et tous vos biens communs ?

— Les avocats se les partagent !

•

— Dis, papa, pourquoi les peintres mettent-ils toujours leur nom au bas de leurs tableaux ?

— Pour savoir dans quel sens ils doivent les pendre au mur !

•

Mélanie est couchée. Sa maman est assise sur le bord du lit et lui chante une berceuse. Elle en chante une deuxième. Puis une autre. Et encore une autre. À la fin, Mélanie demande à sa mère :

— Maman, est-ce que tu me laisses m'endormir maintenant, ou si tu veux encore chanter ?

•

À quel moment les éléphants ont-ils douze pattes ?

Quand ils sont trois.

•

— Sais-tu à quoi on reconnaît un nigaud dans un sous-marin ?

— Non.

— C'est celui qui a un parachute.

•

Le docteur demande à son patient :

— Combien d'heures par jour dormez-vous ?

— Ah, deux ou trois.

— Mais monsieur, ce n'est pas assez !

— Oh moi, ça me suffit. Parce que je dors quand même dix heures par nuit.

•

Pourquoi les sorcières se déplacent-elles sur un balai ?

Parce qu'un aspirateur c'est trop lourd.

•

Un nigaud se prépare à prendre un bain de pieds. Il verse de l'insecticide dans l'eau. Son copain le regarde et lui demande :

— Pourquoi tu fais ça ?

— C'est parce que j'ai des fourmis dans les jambes.

•

Que se disent deux hommes invisibles qui se rencontrent dans la rue ?

Ça fait longtemps qu'on s'était vus !

•

À l'hôtel, le client demande :

— Est-ce que cette chambre est calme ?

— Oh oui, monsieur, très calme.

— J'espère qu'il n'y a pas de coquerelles !

— Oh, il y en a bien quelques-unes, mais ne vous inquiétez pas, elles ne font pas de bruit !

•

Si elle trouve une chose facile à faire, que dit une sorcière à son mari ?

Ce n'est pas sorcier !

•

Marco se rend chez le marchand d'animaux. Il aperçoit un perroquet qui lui plaît beaucoup.

— Ce perroquet est vraiment spécial, lui dit le vendeur. Quand on lui tire la patte gauche, il dit : « Bonjour, monsieur », et quand on lui tire la patte droite, il dit : « Bonjour, madame ».

— Et qu'est-ce qui arrive si on lui

tire les deux pattes ? demande Marco.

— Je me ramasse par terre, espèce d'imbécile ! répond le perroquet.

•

Que dit-on à un squelette triste ?

Ne fais pas cette mine d'enterrement !

•

— Maman, dit Caroline, mon professeur ne sait même pas à quoi ressemble une vache !

— Pourquoi tu dis ça ?

— Hier, j'ai dessiné une vache, et quand il a vu mon dessin, il m'a demandé ce que c'était.

•

Comment trouve-t-on une chose qui a sept nez, quatre bouches, six yeux et cinq oreilles ?

On la trouve laide.

•

Deux fous mangent des bananes :

— Que fais-tu ? s'étonne l'un. Tu n'enlèves pas la pelure ?

— Pourquoi ? Je sais ce qu'il y a dedans !

•

Que faut-il faire pour transformer une sorcière en sorcier ?

Enlever un « e ».

•

Un nigaud dit à un autre :

— As-tu déjà réalisé que s'il n'y avait pas d'électricité, on serait obligé de regarder la télévision à la chandelle !

•

— Hier, raconte Victor à son ami Francis, j'ai mangé dix-huit jambons.

— Ah oui ! Et pourquoi pas dix-neuf ?

— Hé ! Me prends-tu pour un cochon ?

•

Où Dracula garde-t-il ses richesses ?
Dans une banque de sang.

•

Une femme veut maigrir. Elle suit un régime au poisson pendant un mois complet. Puis elle va voir son médecin.

— Alors, madame, votre régime au poisson vous a-t-il fait maigrir ?

— Non, pas vraiment, mais j'ai beaucoup moins peur de l'eau maintenant !

•

Que faut-il faire si un éléphant éternue ?

Il faut se sauver de là au plus vite !

•

Un petit maringouin dit à sa mère :

— Maman, maman, je suis très populaire ! Quand je m'approche des humains, ils se mettent tous à taper des mains !

•

Une jolie petite poule rentre de l'école. Sa maman lui demande :

— Ma poulette, tu as bien travaillé aujourd'hui ?

— Oh oui, maman, j'ai eu un œuf !

•

Paul raconte à son ami Luc :

— Je suis né un jour de congé.

— Quel jour était-ce ?

— Le 14 janvier.

— Mais ce n'est pas un jour de congé.

— Oh oui, ma mère a pris congé ce jour-là !

•

Comment se nomme le type qui est seul dans une cage avec cinq lions affamés ?

Yvon Lavallée.

•

Un homme n'avait que trois cheveux. Tous les jours il va se faire coiffer chez le barbier. Ce dernier lui demande un jour :

— Alors, comment allez-vous peigner vos cheveux ce matin ?

— Ah, tu pourrais en placer un d'un côté, un autre de l'autre côté et le dernier au milieu.

Ce pauvre homme perdait ses cheveux. Un matin, il ne lui en reste que deux. Il se rend chez le barbier :

— Alors, cher monsieur, comment coiffons-nous vos deux cheveux ?

— Bien, un sur un côté et l'autre de l'autre côté.

Quelques jours plus tard, il ne lui reste plus qu'un seul cheveu.

— Et comment allons-nous placer votre cheveu, ce matin ?

— Ah, aujourd'hui j'ai envie de rester dépeigné !

•

Connaissez-vous l'histoire du gars qui est allé prendre une marche ?

Il est revenu avec un escalier !

•

— Ma femme de ménage est très honnête. Depuis qu'elle travaille chez moi, rien n'a disparu, même pas un grain de poussière !

•

Qu'est-ce qui est vivant et n'a qu'un pied ?

Une jambe.

•

— Monsieur, dit le juge, pourquoi n'avez-vous pas ramené ce bracelet tout de suite au poste de police après l'avoir trouvé ?

— Je ne croyais pas que c'était nécessaire. Sur le bracelet, c'était écrit : À toi pour toujours.

•

Deux squelettes en haut d'une falaise :

— Vas-tu sauter ?

— Es-tu fou ? Je tiens bien trop à ma peau !

•

Au magasin :

— J'aimerais avoir un lit de fous.

— Un lit de fous ?

— Oui, un lit pas de tête...

•

Qu'est-ce qui a huit jambes, quatre bras et trois têtes ? Un cheval avec deux cavaliers sur son dos.

•

— Mon Dieu, Mireille, tu as bien maigri !

— Oui, c'est depuis que je suis mon régime chinois.

— Tu manges du riz ?

— Je mange ce que je veux, mais avec des baguettes !

•

À quelle question ne peut-on jamais répondre oui ?

« Dors-tu ? »

•

Un petit moustique veut aller au théâtre. Sa mère refuse. Comme il insiste, elle finit par céder :

— D'accord ! Mais tu rentres avant les applaudissements.

•

— Maman, maman, Pierrot est en train de manger le journal !

— Ce n'est pas grave, c'est celui d'hier.

•

Savez-vous pourquoi les fous mangent des couteaux ?

Pour se couper l'appétit.

•

Le professeur à ses élèves :

— Ne me dites pas que ce problème est difficile. S'il n'était pas difficile, ce ne serait pas un problème !

•

Où samedi arrive-t-il avant vendredi ?

Dans le dictionnaire.

•

Une maman mite s'adresse à son petit :

— Si tu ne manges pas tout ton repas, tu n'auras pas de chausson pour dessert...

•

Pourquoi allume-t-on les cierges dans l'église ?

Parce qu'ils ne peuvent s'allumer seuls.

•

Papa demande à Claude :

— Tu as de bonnes notes à l'école ?

— Bof... Elles sont glacées.

— Comment ça, glacées ?

— Oui, elles sont en dessous de zéro...

•

Qu'est-ce qui a quinze têtes et qui tourne en rond en criant ?

Une équipe de hockey bantam.

•

Pierre court autour de l'école. Un policier l'arrête.

— Pourquoi cours-tu comme ça ?

— Je poursuis mes études.

— Et l'autre là-bas, pourquoi court-il deux fois plus vite ?

— Il fait du rattrapage.

•

Deux passants se rencontrent dans la rue :

— Hé, mon vieux Martin, ce que tu as changé en quinze ans ! Tu as grandi, tu as grossi, et tu as même perdu des cheveux ! Ce que tu as changé !

— Mais voyons, je ne suis pas Martin, je suis Robert.

— Ça alors, tu as même changé de nom !...

•

Où pouvez-vous trouver des perroquets sauvages ?

Ça dépend où vous les avez laissés.

•

— Mon garçon, dit un matin le papa de François, si tu réussis ton examen aujourd'hui, je t'achète un vélo à trois cents dollars.

— Hé, papa, dit François en revenant de l'école, je viens de te faire économiser trois cents dollars...

•

Qu'est-ce qui a deux yeux mais pas de tête, un nombril mais pas de ventre, et deux jambes sans avoir de pieds ?

Une paire de ciseaux.

•

Quel le plat préféré de Dracula ?

Le croque-monsieur.

•

C'est l'histoire d'une petite fille très gourmande qui avait eu comme devoir de conjuguer « faire un gâteau et le manger ». Le lendemain, voici ce que la maîtresse trouva : « Je fais un gâteau et je le mange. Tu fais un gâteau et je le mange. Il fait un gâteau et je le mange. »

•

La fermière nourrit ses poussins :

— Petits, petits, petits !

Un nigaud qui passe par là lui demande :

— Et les gros ? Ils n'ont rien à manger ?

•

Qui emmène tous ses clients ailleurs ?

Le chauffeur de taxi !

•

— Aujourd'hui, c'est moi qui ai donné la meilleure réponse de ma classe, dit Véronique. J'ai dit que les hirondelles avaient trois pattes.

— Mais elles n'en ont que deux! proteste sa mère.

— Oui, mais les autres ont dit quatre...

•

— Tiens, voici ton cadeau d'anniversaire : une boîte de tes chocolats préférés.

— Oh ! merci ! Mais... la boîte est à moitié vide !

— Ben, ce sont mes chocolats préférés à moi aussi...

•

Pourquoi les abeilles ont-elles peur des policiers ?

Parce que piquer c'est voler !

•

Qu'est-ce qui est blanc, poilu, a quatre pattes et se trouve au Sahara ?

Un ours polaire qui s'est perdu.

•

Deux amis psychiatres causent ensemble :

— Comment vont les affaires ?

— Très bien. Imagine-toi que j'ai un cas formidable. C'est un cas de dédoublement de personnalité.

— Ce n'est pas si extraordinaire. J'en ai déjà vu moi-même.

— Peut-être, mais ce que tu ne sais pas, c'est que les deux personnalités me paient.

•

Le professeur demande à Olivier :

— Pourquoi ce devoir est-il de l'écriture de ton père ?

— Parce qu'il m'a prêté son crayon.

•

— Dis donc, Raphaël, qu'est-ce que ta mère fait quand elle a mal à la tête ?

— Elle m'envoie jouer dehors !

•

Un parent à un autre :

— On dit que les enfants illuminent notre vie.

— C'est bien vrai, ils n'éteignent jamais les lumières !

•

Le docteur demande à son patient :

— Alors, monsieur, avez-vous suivi mon conseil pour vos problèmes de respiration ?

— Oui, docteur, j'ai dormi toute la semaine la fenêtre ouverte, et maintenant ça va très bien ! Il y a juste un problème : ma femme s'est fait voler tous ses bijoux et moi ma montre !

•

Y a-t-il une différence entre un professeur et un thermomètre ?

Non. On tremble toujours lorsqu'ils marquent « zéro » !

•

— Maman, toi qui penses que je ne sais jamais quoi répondre aux questions de ma maîtresse, tu vas être très contente de moi. Aujourd'hui, elle a demandé qui avait lancé une bombe puante dans la classe, et j'ai été la seule à répondre !

•

Quand on croise un pigeon voyageur avec un perroquet, on obtient un oiseau capable de demander son chemin en voyage !

•

En promenade dans leur nouvelle voiture, Paul dit à Éric :

— Hé ! Attention ! C'est écrit maximum 50 !

— Pas de problème, nous ne sommes que deux !

•

Un cow-boy sort du saloon et trouve son cheval peint en vert.

Furieux, il retourne dans le saloon et crie :

— Qui a osé peindre mon cheval ?

Un homme se lève, très grand, très gros, l'air très mauvais, et dit :

— C'est moi. As-tu quelque chose à dire ?

— Oui, je voudrais savoir quand vous donnerez la deuxième couche...

•

Le professeur demande à Jacques :

— Peux-tu compter jusqu'à dix ?

— Un, deux, trois, quatre, cinq, six, sept, huit, neuf, dix.

— Très bien, Jacques. Peux-tu continuer ?

— Valet, Dame, Roi.

•

Un clochard arrête un homme d'affaires dans la rue Sainte-Catherine et lui demande :

— Avez-vous un dollar ? Je n'ai pas mangé depuis hier...

— Moi non plus !

— Alors donnez-moi deux dollars, je vous invite !

•

— À qui écris-tu cette lettre ?

— À moi-même.

— Que dit-elle ?

— Je ne sais pas, je ne la recevrai que dans deux jours.

•

— Toc ! Toc ! Toc !

— Qui est là ?

— Quelqu'un qui ne peut atteindre la sonnette !

•

La serveuse au client :

— Il y a à peu près tout ce que vous pouvez imaginer sur ce menu, monsieur.

— J'ai vu cela. Apportez-moi donc un menu propre.

•

La juge dit à l'accusé :

— Vous êtes coupable. Je vous condamne à cent dollars d'amende.

— Oh non, madame la juge ! Je mange pour vingt-cinq dollars d'arachides et je suis malade. Alors imaginez cent dollars d'amandes : je vais en mourir !

•

Dans un musée d'art :

— Dis, Philippe, il n'y a pas de nom sous ce tableau. Qui a peint ce drôle de personnage ?

— Mais ce n'est pas un tableau, Jacques, c'est un miroir...

•

Quelle est la meilleure chose à mettre dans une tarte aux fraises ?

Tes dents.

•

François a cinq ans. Il revient de la maternelle en montrant fièrement à sa mère sa première image autocollante.

— C'est bien, François ! Et qu'est-ce que tu as fait pour mériter ce collant ?

— Ben, je l'ai trouvé par terre.

•

Qu'est-ce qu'un vampire doit faire devant le danger ?

Garder son sang-froid.

•

Jojo a l'air songeur. Sa maman lui demande :

— Qu'y a-t-il, mon Jojo ? Tu as l'air préoccupé.

— Je crois que mon institutrice ne sait pas grand-chose. Elle passe ses journées à nous poser des questions.

•

Alexandre a la grippe. Quand le docteur a fini de l'examiner, il lui demande :

— Docteur, je vous promets d'être courageux, alors dites-moi la vérité. Quand dois-je retourner à l'école ?

•

Qu'est-ce qui est blanc et noir et a huit roues ?

Une sœur en patins à roulettes.

•

Un fermier trouve deux policiers enterrés dans son champ.

— Mais qu'est-ce que vous faites là ?

— Nous étions en train de poursuivre un voleur, mais il nous a semés !

•

Le juge pointe l'accusé avec sa canne.

— Il y a un crétin au bout de cette canne.

L'accusé répond :

— Ça dépend à quel bout !

•

Quelle eau ne peut pas bouillir ?

L'eau bouillante.

•

Véronique rentre à la maison complètement trempée et toute sale.

— Que s'est-il passé ? demande sa mère.

— Je suis tombée dans la boue.

— Pas avec ta belle robe neuve ?

— Ben... je n'ai pas eu le temps d'en mettre une autre !

•

Que dit un fantôme à son ami malade ?

Tu es blanc comme un drap !

•

— Pascal, demande le professeur, si je coupe un morceau de papier en deux, j'obtiens des demies. Si je le coupe en quatre ?

— Des quarts.

— Très bien. Et si je le coupe en mille, qu'est-ce que j'obtiens ?

— Des confettis.

•

Quelle est la différence entre un monstre et un éléphant ?

Le monstre n'a pas de mémoire.

•

Un homme riche fait son testament.

— Je lègue mes maisons de rapport et mes valeurs mobilières à mon cousin Paul. Ma maison de campagne ira à Rita, ma fidèle cuisinière. Quant à mon neveu Félix, qui a toujours prétendu que la santé est plus importante que la richesse, je lui laisse mes chaussures de jogging.

•

Qu'est-ce qui est jaune et tourne en rond ?

Une banane dans une laveuse.

•

Passant devant une ferme, un automobiliste écrase une poule. Navré de l'accident, il ramasse la victime et, apercevant un enfant, lui demande :

— Est-ce que tu penses que cette poule vient de ta ferme ?

— Ça m'étonnerait, répond l'enfant, les nôtres lui ressemblent beaucoup, mais elles ne sont pas si plates.

•

Qu'est-ce qui vient à la fin de chaque année ?

La lettre e.

•

L'accordeur de pianos se présente chez madame Simard.

— Mais je n'ai jamais demandé d'accordeur.

— Vous, non. Mais vos voisins, oui !

•

— Mathieu, dit le professeur, je soupçonne ton père de t'avoir aidé à faire ce devoir-là !

— Oh non, madame, il l'a fait tout seul !

•

François commence sa première année. Sa maman lui demande :

— Si tu as deux bananes et que je t'en donne trois, combien en auras-tu ?

— Je ne sais pas.

— Comment, tu ne sais pas ? Tu n'apprends pas à compter à l'école ?

— Oui, mais avec des pommes...

•

Deux touristes visitent le Sahara. L'un d'eux saisit soudain son appareil pour photographier une oasis.

— Laisse tomber, c'est un mirage !

— Aucune importance, répond l'autre, je n'ai pas mis de pellicule !

•

Un touriste s'est perdu dans la forêt. Il aperçoit une toute petite maison. Il frappe et demande :

— Il y a quelqu'un ?

— Oui, répond une petite fille.

— Est-ce que ta maman est là ?

— Non, elle est sortie quand mon père est entré.

— Et ton père, il est là ?

— Il est sorti quand je suis entrée.

— Mais vous n'êtes donc jamais ensemble à la maison dans votre famille ?

— À la maison, oui. Ici, c'est les toilettes.

•

Où les policiers vivent-ils ?

Au 911, avenue Urgence.

•

— Audrey, ton bulletin ne me plaît pas tu tout, dit la maman.

— Oh, moi non plus. Au moins, ça prouve qu'on a les même goûts...

•

Pourquoi les pompiers portent-ils des bretelles rouges ?

Pour tenir leur pantalon.

•

— Manuel, demande le professeur, peux-tu me dire ce qu'est un oiseau migrateur ?

— C'est un oiseau qui se gratte d'un seul côté.

•

— Mathieu, lui dit sa maman, pourquoi as-tu traité ton ami Michel d'imbécile ? Dis-lui tout de suite que tu regrettes !

— D'accord. Michel, je regrette que tu sois un imbécile !

•

Qu'est-ce qui est mouillé et qui se cache dans un abri ?

Une langue.

•

Est-ce que je peux essayer le chandail bleu dans la vitrine ? demande Nadine à la vendeuse .

— Mais voyons, madame, il y a des cabines d'essayage !

•

— Hé ! Monsieur ! Ici, ça prend un permis pour pêcher, dit le garde-pêche à un homme sur le bord d'un lac.

— Ah, merci du conseil ! Ça fait des heures que j'essaie avec un ver de terre !

•

Comment appelle-t-on un vampire méchant ?

Un sang-cœur.

•

Deux fous se promènent dans le désert avec une portière d'automobile. Le premier dit au second :

— Quand tu auras trop chaud, tu me le diras, je descendrai la vitre...

•

Pourquoi faut-il se pencher pour voir les rabais ?

Parce que ce sont des bas prix.

•

— Madame, j'ai un grave problème avec mes amygdales, raconte Jules à sa professeure.

— Oh, est-ce que ça te fait beaucoup souffrir ?

— Non, seulement quand j'essaie de l'épeler.

•

Le matin, à la radio, Luc écoute l'émission de danse aérobique :

— Bonjour, tout le monde ! Vous êtes prêts ? En haut, en bas. En haut, en bas. En haut, en bas. Maintenant, l'autre paupière : En haut, en bas. En haut, en bas...

•

Que dit un squelette qui a mal à la tête ?

J'ai mal au crâne.

•

Arthur demande à son ami paresseux s'il y a des choses qu'il peut faire vite.

— Oh oui ! Personne ne se fatigue aussi vite que moi !

•

Un éleveur de moutons donne chaque matin un petit morceau de fer à ses bêtes.

— Pourquoi fais-tu ça ? lui demande un copain intrigué.

— C'est parce que je veux que mes moutons donnent de la laine d'acier.

•

Qu'est-ce qu'on peut repasser sans fer ?

Nos leçons.

•

Deux dames se rencontrent :

— Alors, comment va votre bébé ?

— Oh, très bien ! Il marche depuis trois mois.

— Trois mois ! Il doit être rendu très loin.

•

Au restaurant :

— Garçon !

— Oui, monsieur ?

— Il y a une mouche dans ma soupe.

— Chut ! Ne le dites pas trop fort, il n'y en a pas pour tout le monde !

•

Simon vient de finir ses études et il a trouvé un emploi dans une grosse compagnie de finance. Son premier client entre dans le bureau. Comme Simon a bien envie de l'impressionner, il décroche le téléphone et fait semblant de tenir une conversation :

— Salut, Martin ! Ça va ? Je crois qu'on ne pourra pas aller jouer au tennis ce soir, je suis très très occupé. J'ai rendez-vous avec de grands financiers japonais ce matin, ensuite je dois aller faire une conférence à l'Association des millionnaires et le ministre m'a invité pour un cocktail chez lui ce soir. Comme tu vois, je n'ai pas de temps pour les activités ! Salut !

Puis il raccroche et se tourne vers l'homme qui vient d'entrer.

— Que puis-je pour vous, cher monsieur?

— Oh, moi, je suis l'employé de la compagnie de téléphone. Je suis ici pour brancher votre nouvel appareil.

•

Un agent de police arrête un automobiliste.

— Monsieur, vous venez de passer sur un feu rouge.

— J'espère que je ne l'ai pas brisé.

•

Un homme se casse une jambe. Son médecin lui met un plâtre et lui interdit de monter ou de descendre des escaliers pour les trois prochains mois. Au bout de trois mois, l'homme retourne voir son médecin. Ce dernier lui enlève son plâtre et lui annonce qu'il est complètement guéri et qu'il pourra de nouveau monter et descendre des escaliers.

— Je suis bien content, docteur,

car je commençais à en avoir assez de monter et de descendre de chez nous dans une échelle.

•

— Sais-tu que ma mère a perdu cinquante livres en une seule journée ? annonce Maude à son amie.

— Mais quel est son secret ?

— Sa bibliothèque a brûlé.

•

Dans un salon :

— Luc, pourquoi bouges-tu toujours ton pied ?

— C'est pour empêcher les loups de s'approcher de Robert.

— Mais il n'y a pas de loups ici.

— Eh bien ! Tu vois, ça marche, mon truc !

•

Comment appelle-t-on un garçon qui a cent jeux Nintendo chez lui ?

Un menteur !

•

Un homme complètement ivre entre dans un magasin de musique.

— Je voudrais avoir cette trompette rouge et cet accordéon brun.

— Je suis désolé, monsieur, répond le vendeur, l'extincteur et le climatiseur ne sont pas à vendre !

•

Un petit garçon demande à sa mère :

— Maman, qui m'a donné mon intelligence ? Est-ce que c'est toi ou papa ?

— C'est ton père, voyons ! Moi j'ai gardé la mienne !

•

Qu'est-ce que je coupe, que je dépose sur la table et que je ne mange pas ?

Un jeu de cartes.

•

— Docteur, dit Simon, j'ai un grave problème, je n'arrive pas à me rappeler le nom des copains que je rencontre.

— Ne vous en faites pas, je vais vous donner un truc d'imagerie. Supposons que vous rencontrez une Karine : vous n'avez qu'à l'imaginer toute couverte de farine et vous n'oublierez jamais son nom ! Et si vous rencontrez un Olivier, vous imaginez que sa figure est une olive. Vous comprenez ?

— Oui, mais qu'est-ce que je fais si je rencontre un Tomoyuki ?

— Dans ce cas-là, vous oubliez tout ça et vous retournez jaser avec Karine !

•

— François, tu pourrais faire comme ton copain Frédéric : il embrasse sa maman avant de partir pour l'école.

— Mais c'est que je ne la connais pas, moi, sa mère, et ça me gênerait beaucoup de l'embrasser.

•

Mathieu raconte à son prof qu'il est allé voir un concert d'un orchestre symphonique.

— Il y avait tellement de monde que le chef d'orchestre n'a pas pu s'asseoir de toute la soirée !

•

Un acteur tient le rôle d'un dompteur dans un film. Il doit entrer dans la cage des lions mais il hésite. Le metteur en scène lui dit :

— Tu n'as rien à craindre, ils ont été élevés au biberon.

— Ouais... moi aussi, et maintenant je mange des steaks !

•

Qu'est-ce qui monte et ne descend jamais ?

Ton âge.

•

Paul-Antoine est au musée avec sa classe. Le guide leur explique :

— Vous voyez maintenant la pièce la plus célèbre du musée. Ce sont les ossements d'un dinosaure vieux de soixante-dix millions six ans.

— C'est incroyable ! s'exclame Paul-Antoine. Comment pouvez-vous connaître son âge avec autant de précision ?

— Bien, vois-tu, répond le guide, quand le musée m'a engagé, le dinosaure avait soixante-dix millions d'années. Et ça fait six ans que je travaille ici !

•

Un voleur est en train de cambrioler une maison. Soudain, comme il s'apprête à partir, il entend une voix qui lui dit :

— Est-ce que vous ne pourriez pas aussi voler mon bulletin ?

•

— Dis donc, Bastien, es-tu déjà allé à Toronto ?

— Non, jamais.

— Alors tu dois connaître mon

cousin Walter. Lui non plus n'y est jamais allé !

•

Un pharmacien rentre à la maison après le travail.

— Chéri, chéri, lui dit sa femme, rayonnante, le petit vient de dire son premier mot !

— Et qu'est-ce que c'est ? Papa ? Maman ?

— Non, acétylsalicylique...

•

Quels sont les trois mots qui contiennent le plus de lettres ?

Bureau de poste.

•

La maman à sa petite fille :

— As-tu été bien sage à la messe ?

— Oh oui, maman. Un monsieur m'a offert une assiette pleine d'argent et j'ai dit : « Non merci, monsieur. »

•

Qu'est-ce qu'on peut retenir sans y toucher?

Son souffle.

•

— Gaston est très malheureux depuis qu'il est dans la marine.

— Pourquoi?

— Il travaille dans un sous-marin, lui qui a toujours aimé dormir la fenêtre ouverte!

•

Dans une grande firme de comptables, le patron entre en trombe dans le bureau, complètement affolé.

— Le système informatique vient de sauter! Y a-t-il quelqu'un ici qui se rappelle encore comment compter?

•

— Julie, demande le professeur, sais-tu ce qu'est un volcan?

— Euh... une montagne qui a le hoquet?

•

— Garçon, demande le client, j'aimerais avoir un steak qui gazouille.

— Pardon ?

— Un steak qui gazouille. Allez me le chercher, vite !

— Mais monsieur, je regrette, je ne connais pas ça. Qu'est-ce que c'est ?

— C'est un steak cuit cuit cuit !

•

Dans le désert, trois hommes s'ennuient. Ils trouvent une lampe magique, la frottent trois fois et un génie en sort. Il leur annonce qu'il leur accordera à chacun un vœu. Le premier homme demande :

— Je veux gagner un million de dollars au casino.

Le deuxième :

— Je veux aller voir ma femme.

Le troisième :

— Je m'ennuie, ramène-moi mes deux amis.

•

Que fait une tortue sur une autoroute ?

Elle fait environ un kilomètre à l'heure.

•

Le père de Simon a enfin accepté de lui apprendre à conduire.

— Tu vois, Simon, quand le feu est vert, tu peux avancer. Quand il est rouge, tu arrêtes. Et quand je deviens blanc, tu ralentis !

•

Manuel voulait à tout prix avoir une bicyclette. Son père lui dit un jour :

— Tu auras une bicyclette quand tu sauras écrire ce mot.

— Alors, je préfère avoir un vélo !

•

Dans une salle, un magicien fait son spectacle. Comme il va exécuter un tour spécial, il demande la participation d'une personne du public. Un petit garçon se lève aussitôt et se dirige vers la scène. Le magicien lui dit :

— Pouvez-vous dire au public que c'est bien la première fois que nous nous voyons ?

— Oui, papa.

•

La petite Marianne demande à son grand-père :

— Dis, grand-papa, comment s'habille-t-on quand il fait froid ?

— Voyons, Marianne, en vitesse !

•

— Philippe, dit le professeur, tu vas me copier cent fois la phrase : « Je suis nul en français. »

Le lendemain, Philippe apporte son travail.

— Mais, dit le professeur, tu n'as copié la phrase que cinquante fois.

— Ben, monsieur, c'est parce que je suis aussi nul en mathématiques.

•

Au restaurant :

— Le steak est dur comme du béton !

— C'est normal, c'est le plat de résistance !

•

Claudine fait écouter à son père le dernier disque compact de son groupe rock préféré.

— Papa, as-tu déjà entendu quelque chose de semblable ?

— Oui, le jour où ta mère a échappé son service de vaisselle par terre !

•

Quelles sont les notes préférées des concierges ?

Si-fa-si-la-si-ré (si facile à cirer).

•

— Monsieur, c'est une honte, ça fait une demi-heure que j'appelle le garçon et personne ne vient !

— C'est normal, monsieur. Ici, il n'y a que des serveuses.

•

— Garçon ! Une mouche est en train de se noyer dans ma soupe !

— Et alors ? Vous voudriez peut-être que je lui fasse la respiration artificielle ?

•

Gabrielle fait sa prière :

— Mon Dieu, fais que mon père, ma mère et ma sœur soient toujours en bonne santé et que les vitamines soient dans les gâteaux, pas dans le brocoli...

•

Quel est le passe-temps préféré des abeilles ?

Les dards.

•

— Alexandre, dit le professeur, je t'ai déjà dit qu'il faut mettre sa main devant sa bouche quand on tousse.

— J'ai essayé, répond Alexandre, mais ça ne m'empêche pas de tousser !

•

Deux copains décident d'aller voir une tireuse de cartes.

— Chers messieurs, ce sera cinquante dollars et vous avez droit à deux questions.

— Cinquante dollars ! Vous ne trouvez pas que c'est un peu cher ?

— Oui, peut-être. Bon, maintenant, votre deuxième question ?

•

Qu'est-ce qui prouve que les cuisiniers sont cruels ?

Ils battent les œufs et fouettent la crème.

•

Un psychiatre a un nouveau patient. Pour apprendre à le connaître, il lui demande de parler un peu de lui en commençant par le début.

— Au début, j'ai créé le ciel et la terre...

•

— Maman, demande Lucie, où es-tu née ?

— À Gaspé.

— Et papa, où est-il né ?

— À Vaudreuil.

— Et moi ?

— Toi, tu es née à Berthierville.

— Oh là là, on a été vraiment chanceux de se rencontrer.

•

Que doit-on faire pour aider un cannibale affamé ?

Lui donner la main.

•

Maxime a eu une punition. Il ne pourra pas manger de dessert au souper.

— Ça ne me dérange pas du tout, dit-il avec courage.

Malheureusement, sa mère arrive avec le dessert : un énorme gâteau au chocolat.

— Tu es sûr que ça ne te dérange pas ? lui demande-t-elle.

— Pas du tout! Ça ne me dérange tellement pas que tu pourrais même m'en donner.

•

C'est quoi la différence entre un épicier et un libraire?

Un compte en kilos, l'autre en livres.

•

Un père se plaint à un de ses amis que son enfant est insupportable.

— J'ai un bon truc pour toi, répond l'ami. Achète-lui un vélo.

— Quoi? Tu crois qu'un vélo va l'empêcher de faire des mauvais coups?

— Non, sûrement pas, mais au moins il va aller les faire ailleurs!

•

Lucie offre des bonbons à sa petite nièce Catherine.

— Qu'est-ce qu'on dit à Lucie? dit la mère de Catherine.

— Encore ?

•

— Simon, tu dis que tu t'es battu pour défendre un petit garçon, mais qui était-ce ?

— Moi.

•

— Grand-papa, dit sévèrement Ariane, tu ne devrais pas fumer. Le professeur nous a expliqué aujourd'hui pourquoi c'est très dangereux pour la santé.

— Mais Ariane, dit le grand-papa, un peu insulté, j'ai soixante-dix ans et ça ne m'a jamais rendu malade.

— Peut-être, mais si tu n'avais jamais fumé, tu aurais peut-être quatre-vingt-dix ans aujourd'hui.

•

Qu'est-ce qui est pire qu'une girafe qui a mal à la gorge ?

Un mille-pattes qui a mal aux pieds !

•

Une maman cannibale explique à son enfant :

— Combien de fois faudra-t-il que je te dise de ne jamais parler avec quelqu'un dans la bouche ?

•

C'est la cinquième fois qu'une banque se fait cambrioler par le même voleur. Le détective interroge le directeur de la banque :

— Monsieur, vous n'avez rien remarqué de spécial chez le voleur ?

— Oh oui, à chaque fois il était de mieux en mieux habillé !

•

Le dompteur et le patron du cirque sont en grande conversation. Le patron demande au dompteur :

— Comment avez-vous commencé à dresser des éléphants ? Est-ce qu'il y a longtemps que vous faites ça ?

— Ça ne fait pas très longtemps. J'ai commencé par dompter des puces.

Mais je suis devenu myope !

•

Quel est le signe astrologique de la vache ?

Taureau.

•

— Léo, demande le professeur, quel est le pluriel de « cheval » ?

— Des « chevaux ».

— Très bien. Et le pluriel de « journal » ?

— Des « journaux » .

— Et maintenant le pluriel de « bébé » ?

— Des « jumeaux » .

•

Le lapin :

— Viens-tu magasiner avec moi ?

La tortue :

— Oui, mais ne te presse pas !

•

Qu'est-ce que le chien dit au chat ? Ouah ! ouah ! (Quoi d'autre ?)

•

Michel visite une ferme avec sa mère. Elle lui explique :

— Tu vois les vaches ? Ce sont elles qui nous donnent du lait.

— Et la brune, là-bas, elle donne du chocolat au lait ?

•

— Patrice, demande le professeur, dis-moi ce que signifie « Je l'ignore » .

— Je ne sais pas...

— Très bien, Patrice !

•

Un bandit entre en prison. On l'amène à sa cellule, qui est déjà occupée. Le bandit demande à son nouveau copain :

— C'est quoi, ton numéro ?

— C'est 3540019788, mais tu peux m'appeler 35 !

•

Comment appelle-t-on un éléphant qui est mort ?

Un éléphantôme.

•

Une voiture traverse un village à toute vitesse. Un policier se lance à sa poursuite et arrête le chauffard.

— Monsieur, vous n'avez pas vu la limite de vitesse ?

— À cette vitesse ? Êtes-vous fou !

•

Un jour, Isabelle rentre de l'école toute contente.

— Aujourd'hui, ma maîtresse était très contente de moi.

— Bravo ! lui dit sa mère. Qu'est-ce qu'elle t'a dit ?

— Elle a dit : « Guillaume, tu es un élève insupportable, j'aime encore mieux Isabelle... »

•

Que font les abeilles quand elles sont en amour ?

Bise ! Bise !

•

La maman de Karine la voit en train de griffonner sur un morceau de papier.

— Que fais-tu, Karine ?

— J'écris à mon cousin Pascal.

— Mais tu ne sais pas écrire !

—Oh, ça n'a pas d'importance puisque Pascal ne sait pas lire !

•

Quand un électricien va se baigner, qu'est-ce qu'il fait ?

Il suit le courant.

•

Le papa demande à Philippe, son garçon :

— Qu'est-ce que tu achèterais si tu étais très riche ?

— Oh moi, répond Philippe, j'aimerais avoir un chandail blanc, un pantalon blanc, des chaussettes blanches et des souliers de course blancs.

— Et qu'est-ce que tu ferais avec ça ?

— J'irais jouer dans la boue !

•

Qu'est-ce qu'un mur dit à un autre mur ?

On se rencontre dans un coin ?

•

Un jour, Mario est insupportable. Il fait bêtise par-dessus bêtise. Excédé, son père lui dit :

— Si tu n'arrêtes pas, je te préviens, les coups vont pleuvoir !

— D'accord, répond Mario, je vais mettre mon imperméable.

•

Quand un menuisier va se baigner, qu'est-ce qu'il apporte avec lui ?

Sa planche.

•

Peu après Noël, une maman furieuse entre au magasin de jouets.

— Je viens retourner ce camion de pompier incassable. Je ne suis vraiment pas satisfaite !

— Mais madame, votre enfant ne l'a sûrement pas brisé ?

— Oh non ! Mais il a brisé tous ses autres jouets avec.

•

Quel est le comble pour un boxeur ?

Recevoir une pêche en pleine poire, tomber dans les pommes et ne plus pouvoir ramener sa fraise.

•

— Chère madame, dit le médecin à sa patiente, pour perdre du poids, je ne vois qu'un seul moyen : l'exercice.

— Ah oui, docteur. Vous voulez que je fasse de la danse aérobique ?

— Non, non ! Vous n'avez qu'à bouger la tête de gauche à droite à plusieurs reprises à chaque fois que quelqu'un vous offre de la nourriture!

•

J'ai rencontré un homme tellement maigre qu'il n'y avait qu'une seule ligne sur son pyjama rayé!

•

— Sais-tu ce qui me plaît beaucoup quand arrive le temps de Noël?

— Non, quoi?

— Embrasser les filles sous le gui.

— Moi, ce que je préfère, c'est de les embrasser sous le nez!

•

Que dit une maman grenouille à son petit qui revient à une heure tardive?

« Dis donc, t'es tard! »

•

Deux amis discutent. Le premier demande à l'autre:

— Si tu avais six châteaux, tu m'en donnerais un?

— Bien sûr!

— Et si tu avais six voitures, tu m'en donnerais une ?

— Évidemment !

— Ça, c'est un ami ! Et si tu avais six chemises, tu m'en donnerais une ?

— Ah non !

— Comment non ? Et pourquoi ?

— Parce que j'ai six chemises.

•

Qu'est-ce qui est une vraie perte d'énergie ?

Raconter une histoire à faire dresser les cheveux sur la tête à un chauve.

•

— Jeanne, demande le professeur, est-ce que tu peux conjuguer le verbe marcher au présent ?

— Je marche... tu marches... il marche...

— Plus vite, Jeanne !

— Nous courons, vous courez, ils courent.

•

Comment dit-on « colporteur » en

chinois ?

« Ding Dong ! »

•

Émile se promène sur le trottoir quand il rencontre une vieille dame qui lui demande :

— Mon petit, pourrais-tu m'aider à traverser la rue ?

— Mais bien sûr. Est-ce que vous habitez en face ?

— Non, mais j'ai stationné ma moto de l'autre côté !

•

Un père embarrassé tente d'expliquer à son jeune fils que la famille comptera bientôt un nouveau membre.

— Fiston, un jour, une cigogne volera au-dessus de notre maison et s'y arrêtera.

Songeur, pendant quelques secondes, le fiston répond :

— J'espère qu'elle n'effraiera pas maman. Elle est enceinte, tu sais.

•

Deux serpents font une sieste au soleil. L'un dit à l'autre :

— Comme le temps passe vite !

— Tu as bien raison, répond son copain. Quelle heure reptile ?

•

Je suis un chien mais pourtant je n'ai pas de queue. Qui suis-je ?

Un chien chaud.

•

— Je vous dois combien ? demande le client au chauffeur de taxi.

— Treize dollars.

— Oh ! là là, vous ne pourriez pas reculer un peu ? Je n'ai que douze dollars !

•

Un homme est mort pendant un des trois voyages qu'il a faits en avion : Paris, Vancouver et New York. Lequel ?

Le dernier !

•

Que dit le hibou à sa femme au Jour de l'an ? « Je te chouette une bonne année ! »

•

— Mais voyons, monsieur, dit le policier, comment pouviez-vous croire que vous rattraperiez le voleur de votre auto à pied ?

— Monsieur l'agent, ça paraît que vous ne connaissez pas ma vieille bagnole !

•

Qu'est-ce qui est vert et qui monte et descend ?

Un petit pois dans un ascenseur.

•

Alex raconte à ses amis que son grand-père lui a appris une chose fantastique. Maintenant il peut savoir l'heure rien qu'en regardant le soleil.

— Mais comment fais-tu la nuit ? lui demande un de ses copains.

— Oh ! c'est facile ! Je sors ma

trompette et je me mets à jouer. Il y a toujours un voisin pour me dire : « Qui est l'imbécile qui joue de la trompette à trois heures du matin ? »

Payette & Simms inc.

Achevé d'imprimer en janvier 2004 sur les presses de
Payette & Simms inc. à Saint-Lambert (Québec)